Pour Tristan, Julien et Lucile
M. B.
Pour Isabel qui donne vie aux histoires que j'écris
M. G.-J.

ISBN 978-2-211-07858-0
Première édition dans la collection *lutin poche* : janvier 2005
© 2003, Kaléidoscope, Paris
Loi numéro 49 956 du 16 juillet 1949 sur les publications
destinées à la jeunesse : mars 2003
Dépôt légal : novembre 2008
Imprimé en France par Aubin Imprimeur à Poitiers

Magdalena Guirao-Jullien

La sorcière Tambouille

Illustrations de Marianne Barcilon

kaléidoscope
lutin poche de l'école des loisirs
11, rue de Sèvres, Paris 6ᵉ

Plus que tout au monde,
la sorcière Tambouille adore cuisiner.

Soufflé de crapaud,

langue de loup aux choux,

terrine d'escargots,

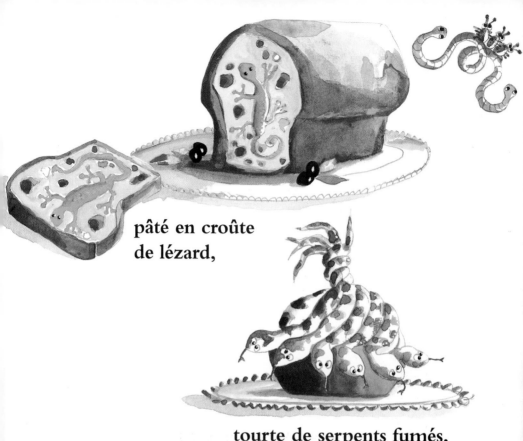

pâté en croûte
de lézard,

tourte de serpents fumés,

rat en gelée...

Elle prépare des mets rares, des mets raffinés.

Mais personne n'apprécie ce qu'elle fait. Ses invités,
fantômes, squelettes, gnomes, vampires et farfadets,
tous plus rustres les uns que les autres, s'empiffrent,
gloutonnent, bâfrent sans jamais féliciter
cette cuisinière hors pair.

La sorcière
Tambouille
fait sa ratatouille

Même son perroquet s'y met.

La sorcière Tambouille lui lance un bol de cafards confits.
« J'en ai assez de ces convives qui n'utilisent pas
leurs couverts, qui plongent leurs doigts crochus
dans les assiettes, qui bavent, qui crachent, qui rotent…
Si seulement je pouvais trouver un invité bien élevé,
digne de mes plats, un seul… »

L'ogre Rococo
voilà celui qu'il te faut !
L'ogre Rococo,
c'est celui qu'il faut !

VENDS D...
POUR GÉANT...
peau, cheval en bois très

RE
palais

VAMPIRE CHERCHE DENTIER
MORDANT même d'occasion, si bien
tranchant. Contacter Mme Sandent.

E TARTE
ancer franc

E CHERCHE
er au ping pong.

TE DE LA POULE
as de porc en gelée, des

OEIL DE BOEUF
de biche, tapette à mouches
op de fraise et tête de lard
ed marin.

IERE A LA RETRAITE VEND
de recettes pour cuisiner fillette sans
rendre la tête.

NDS JEU DE CONSTRUCTIO
EN OS, du château de la fée Carabosse.

FANTOME SANS AGE CHERCHE
jeune fille au beau visage pour hanter
château du Moyen Âge.

VENDS STOCK DE DOIGTS DE
PIEDS pour tous les goûts...

de mer, s...
Rigolo.....

CAUSE DEMENAGEMEN
balai volant pliant pour petits déplace-
ments plus chaudron magique d'appar-
tement.

REGIME POUR GROS OGRES à base
de poudres et vinaigres, à suivre sur les
ordres de Maître Maigre.

UNE PETITE FEE EST NEE
elle s'appelle Lucile, elle cherche
à s'endormir, Chuuuuuuut........
plus de bruit...

OURS POLAIRE A TROUV
petit porte-clés au pôle nord,
bien le rendre directement à
con en

OGRE REPENTI CHERCHE DAME
DE COMPAGNIE, je ne mange plus
d'enfants par philosophie, comme la cuisine traditionnelle m'ennuie, je cherche
une cuisinière ayant de la fantaisie, pour
renouveler mes envies et satisfaire mon
appétit, si cela vous dit, venez avant
midi...

AMEN
bert

BEBE
la baga
souhaite
talisé sa vi

LE DOCTEU
cherche enfant
piqûres.

SQUELETTE DONNE COURS DE
ROCK, os fragiles s'abstenir car risques
de chocs.

**La sorcière Tambouille
s'empare du journal
que tient le perroquet.**

Intriguée, elle fourre ustensiles
et livres de cuisine dans une valise
et se rend au château de l'ogre Rococo.

«Quel décor étonnant
pour un ogre !»
s'étonne-t-elle.

« Sachez, madame, que les enfants sont attirés par ce qui est beau », dit l'ogre Rococo en ouvrant la porte. « Mais je ne peux, hélas, plus en manger : je ne les digère pas. Vous venez pour l'annonce, je présume ? »

Immédiatement, la sorcière Tambouille
se met aux fourneaux.
Nouilles sautées aux grenouilles, mousse de limace,
araignées glacées, queues de rat en chocolat…

L'ogre Rococo mange sans dire un mot,

s'essuie la bouche puis éclate d'un gros rire.
« Bravo ! Bravissimo ! Quel talent !
Je vous garde, vous serez la cuisinière
la mieux payée, la mieux logée,
la plus gâtée, la plus aimée.
Tiens, je pourrais même
vous épouser ? »

La sorcière Tambouille reste bouche bée.

«Euh… c'est-à-dire que… euh… je cherchais juste un bon convive, pas un mari…»

«Mais je ne vais plus pouvoir me passer de vous. Allez, dites oui, je vous en prie!»

«D'accord pour être votre cuisinière. Pour le reste, nous en reparlerons dans un mois.»

Marché conclu. L'ogre Rococo installe la sorcière
Tambouille dans la plus belle chambre du château.
Lit à baldaquin, draps en satin, tapisserie froufroutée,
chandeliers argentés, miroirs dorés,
salle de bains diamantée…

«Tout de même», se dit la sorcière Tambouille
un peu déboussolée, «quelle drôle de maison!
Pas une seule toile d'araignée, pas de miroir cassé,
pas de chauve-souris ni de rat sous le lit. Comment
vais-je supporter de rester ici? Heureusement,
ce Rococo a l'air d'apprécier la bonne chère!»

Mais dès que la sorcière Tambouille concocte
une spécialité, elle le surprend à prendre des notes.

Dès qu'elle mijote un plat,
elle découvre ses doigts dans la sauce.

« Sortez d'ici ! » hurle-t-elle
au moins cinquante fois par jour.
Sans résultat.
L'ogre est un ogre. Il aime manger.

Fatiguée de devoir sans cesse le chasser,
la sorcière Tambouille en vient à délaisser la cuisine.
Elle passe plus de temps dans sa belle salle de bains,

plus de temps dans sa belle chambre, plus de temps
devant son beau miroir doré…
… si bien qu'au bout d'un mois la coquette Tambouille
n'a plus la moindre envie de cuisiner pour l'ogre.
« Il est temps de quitter ce Rococo collant ! »

L'ogre, quant à lui, est bien trop occupé
à préparer un sauté de vers de terre
pour remarquer son départ.

De retour chez elle, la sorcière Tambouille décide d'apporter quelques changements à sa façon de vivre.

Elle achète une nouvelle table araignée
en fer forgé, une paire de miroirs
chauves-souris, un canapé en pieds
de croco… et, pour finir, un chaudron
magique qui lui permettra de passer
moins de temps derrière les fourneaux…

... sans oublier les copains pour autant.